SOPA DE LIBROS

D0755817

Título original: *Grisel and the tooth fairy (and other stories)*

© Del texto: Roger Collinson, 2002
© De las ilustraciones: Antonia Santolaya, 2002
© De la traducción: Lucas Álvarez de Toledo, 2002
© De esta edición: Grupo Anaya, S.A., 2002
Juan Ignacio Luca de Tena, 15. 28027 Madrid
www.anayainfantilyjuvenil.com
e-mail: anayainfantilyjuvenil@anaya.es

1.ª edición, marzo 2002
7.ª edición, junio 2010

Diseño: Manuel Estrada

ISBN: 978-84-667-1569-0
Depósito legal: M. 29935/2010

Impreso en ORYMU, S.A.
Ruiz de Alda, 1
Polígono de la Estación
Pinto (Madrid)
Impreso en España - Printed in Spain

Collinson, Roger
Las cosas de Berta / Roger Collinson ; ilustraciones
de Antonia Santolaya. — Madrid : Anaya, 2002
136 p. : il. col. ; 20 cm. — (Sopa de Libros ; 70)
ISBN 978-84-667-1569-0
1. Rebeldía. 2. Travesuras. I. Santolaya, Antonia, il. II.Álvarez
de Toledo, Lucas,trad. III. TÍTULO
82-3:087.5

Las cosas de Berta

SOPA DE LIBROS

Roger Collinson

Las cosas de Berta

Ilustraciones de
Antonia Santolaya

Traducción de Lucas Álvarez de Toledo

1
BERTA Y EL RATONCITO PÉREZ

Berta andaba mal de dinero. Berta siempre andaba mal de dinero. Uno de los dichos de la abuela de Berta es «Las mejores cosas de la vida son gratis». Pero hasta que llegue el día en que los tenderos repartan caramelos, helados y bollos a cambio de nada, la opinión de Berta es que la abuela dice un montón de tonterías.

Berta, realmente, andaba mal de dinero, y la excursión del colegio a laplaya se acercaba. El autobús era gratis, la comida y la merienda de hamburguesas y patatas fritas, también, y mamá le había prometido a Berta una bolsa de sus caramelos favoritos. Así que te preguntarás: ¿por qué esta increíble necesidad de dinero? La respuesta a esto es otra pregunta: ¿era gratis la tómbola de la feria? ¡No lo era! Así que Berta necesitaba monedas, tantas como pudieran caer en sus manos, porque jugar en la tómbola puede costar una fortuna. Con un poco de dinero, si tenías suerte, podías ganar regalos impresionantes. Cierto que había una posibilidad, Berta debía afrontarlo, de que lo perdiera todo y volviera sin nada. Pero era una posibilidad que asumía. Sabía que debía arriesgarse a perder lo que tenía si quería ganar mucho más, pero Berta no tenía nada en ese momento. Lo cual me lleva de nuevo a donde estaba al principio.

El viaje era dentro de dos días, y Berta no había conseguido ni un céntimo. Todo el dinero de su cumpleaños se había esfumado, y ya se había gastado el anticipo de tres semanas de paga en una careta de monstruo.

La abuela y su monedero estaban de visita en casa de la tía Viviana. Berta estaba preparada para trabajar por dinero, pero

nadie le ofrecía un trabajo. Todos decían que sería más rápido, más seguro y más barato si lo hacían ellos mismos. El mundo, decía Berta, estaba lleno de cerdos. Había buscado dinero. Había rebuscado bajo los brazos de los sillones y del sofá, pero no había encontrado nada más valioso que pinzas del pelo y migas de galleta. Era desesperante. Los premios estaban esperando en la tómbola, fuera de su alcance porque le faltaba un puñado de calderilla.

Berta meditaba amargamente sobre la vida, mordiendo una costilla de cerdo asado que mamá había preparado para la cena. Mientras mordía, sintió dolor en uno de sus dientes. Se estremeció, y con cuidado volvió a morder. ¡Otra vez ese desagradable dolor! Berta se sacó la costilla de la boca y exploró el diente con la lengua. Se movía; no mucho, pero efectivamente se movía. Encima, para sumarse a todas sus penas, tenía un diente suelto. ¡Una chica no podía ni disfrutar del simple placer de masticar una costilla!

Entonces, se le ocurrió una idea. Berta cayó en la cuenta de que una pérdida para sus encías significaría la ganancia para su bolsillo. Porque el ratoncito Pérez todavía venía de noche a casa de Berta y compraba cada uno de sus dientes por un euro. A Berta no le importaba lo que el ratoncito Pérez hiciera con sus dientes, siempre que el euro estuviera bajo su almohada a la mañana siguiente.

Con la punta de la lengua seguía explorando lo que, ahora se daba cuenta, podría ser la fuente de un muy necesitado capital. Pero el diente suelto no tenía valor alguno mientras permaneciera en su boca. El ratoncito Pérez nunca paga por adelantado; siempre quiere llevarse el diente a cambio. La excursión del colegio era el sábado, y hoy era jueves. Un diente suelto, por sí solo, podía moverse durante días. Iba a necesitar ayuda.

Cuando le dieron permiso para levantarse de la mesa, Berta corrió a su escondite secreto, detrás de las herramientas en el fondo del jardín, y allí se puso manos a la obra. Primero, cogió el diente entre los dedos pulgar e índice y tiró. Parecía más firme que antes, pero Berta siguió tirando. Empujó el diente hacia delante y hacia atrás. Le dolió bastante, pero un euro bien merecía una solución de emergencia, y por eso Berta continuó. «No hay recompensa sin dolor», era otro de los dichos de su abuela. Berta pensó que, por esta vez, la abuela había dado en el clavo.

A media tarde el diente ya estaba a punto. Colgaba balanceándose en su sonrisa. Había llegado el momento de dejar de empujar y tirar, y empezar a retorcerlo. Y lo retorció y retorció hasta que, justo antes de que la llamaran para merendar, el diente se desprendió. Lo sostuvo en la palma de la mano y pensó: «Un euro ganado con mucho esfuerzo».

El hueco que había en la parte de delante de su boca quedaba muy raro. Su hermana Jimena habría preferido morir antes que aparecer en público con un hueco entre los dientes. Pero a Berta le

importaban poco las apariencias. ¿Qué importaba la imagen en comparación con el dinero y con todas las cosas que se podría comprar? Corrió de vuelta a casa y encontró a su familia sentada a la mesa, merendando.

—*Ze me ha caizo un ciente* —balbuceó triunfalmente, y sostuvo en alto la prueba para que lo vieran, apuntando con el dedo el hueco que tenía en aquella sonrisa de felicidad.

—¡*Puaf!* —exclamó Jimena espantada.

—No nos has contado que se te movía un diente —dijo su madre.

—Espero que el ratoncito Pérez venga esta noche —respondió Berta, ignorando el comentario de mamá. Mamá y papá se miraron el uno al otro con cara de asombro.

—Ese diente... —dijo la madre de Berta— ¿Cuándo notaste por primera vez que estaba suelto?

—Apuesto a que lo sé —interrumpió Jimena—. Estaba muy rara a la hora de la comida. Se sacó una costilla de la boca

y pude ver cómo rebuscaba algo con la lengua.

Berta le sacó la lengua a su hermana.

—¡Basta ya! —dijo su madre.

—¡Pero!... —protestó Berta.

—¿Cómo se te ha caído tan deprisa ese diente? —preguntó mamá—. No habrás estado tirando de él, ¿verdad? No te habrás dedicado a eso toda la tarde.

Berta frunció el ceño.

—¡*Puaf!* —exclamó Jimena por segunda vez—. ¡Imagínate! ¡Arrancarte un diente para conseguir dinero! ¡Parece sacado de una peli de terror!

Berta le echó una mirada feroz a Jimena. ¡Suerte para Jimena que el ratón Pérez no pague por los dientes de otros!

—No lo vuelvas a hacer —dijo mamá enfadada. Luego, en un tono más delicado—: Te habrá dolido una barbaridad.

Berta pasó las horas después de la merienda sumida en una silenciosa satisfacción, segura de que, al día siguiente, tendría su euro. No era mucho, pero suficiente para probar suerte en la tómbola. Sus provocados dolores tendrían recompensa.

La abuela, además de dar consejos sin venir a cuento, también cocinaba el mejor bizcocho de mantequilla del mundo. Relleno de nata, con nueces y pasas, que se te hacía la boca agua. Con un trozo de bizcocho de la abuela en la boca, hablar era imposible. En esos momentos, cuando toda la familia masticaba, en la mesa se hacía un silencio poco común.

Berta cogió con avaricia un enorme trozo y empezó a masticar. De repente, notó un dolor como el de la comida, pero mucho más intenso. Habría gritado, pero sus mandíbulas estaban pegadas entre sí, y cuando consiguió separarlas, vio que, hundido en el bizcocho, entre las nueces y las pasas, había un diente. El mismo diente que le dolía cuando masticaba la costilla. Fue entonces cuando Berta comprendió que se había pasado toda la tarde tirando del diente equivocado. ¡Todo aquel dolor! Ahora el hueco era tan grande que hasta a ella le parecía horrible.

Berta rompió a llorar. Su padre, impasible ante el llanto de su hija, solo comentó:

—Cuando el fotógrafo diga patata en la excursión del colegio, será mejor que mantengas la boca cerrada.

—¡Pobrecita! Dame el bizcocho, que lo voy a tirar a la basura —dijo mamá.

Eran las dos de la madrugada cuando papá, mamá y Jimena se despertaron por un ruido que venía de abajo. ¿El gato? ¿Los ladrones? ¿O sería...? Bajaron cuidadosamente las escaleras. El gato no podía ser, porque la luz de la cocina estaba encendida... Cuidadosamente, papá abrió la puerta y miró dentro, para encontrar... no a un ladrón, sino a Berta junto al cubo de la basura, rebuscando entre un montón de pieles de fruta, cáscaras de huevo, espinas de pescado y bolsas de té.

—¡Cariño! —gritó mamá—. ¿Qué estás haciendo?

Berta levantó la mirada con los ojos abiertos como platos, y por el inmenso

hueco que había en sus encías superiores, silbó:

—*Tengo que encontzaz el bizcozo con mi diente antes de mañana...* ¡*Fale otro eudo!*

2
BERTA Y EL SOMBRERO DEL COLEGIO

—¡Nadie me ha dicho que era sábado! —protestó Berta, mientras se subía a la silla para desayunar.

La familia intercambió miradas. ¡Iba a ser uno de esos días! Papá, de repente, se sintió muy aliviado por tener que ir a una conferencia de fin de semana, y Jimena se acordó de que había prometido acompañar a María a la ciudad a comprarse un vestido. Mamá, que no iba a ninguna parte, suspiró.

Berta, refunfuñando irritada, les echó una mirada feroz. Jimena dijo:

—Bueno, niña, es bastante normal que después del viernes venga el sábado.

—Como dice mi maestra —respondió

Berta agriamente—, ¡ese sarcasmo es la peor forma de reproche!

—Querrás decir de ingenio —corrigió Jimena.

—En este caso, creo que Berta está en lo cierto —dijo papá. Y Jimena, que estaba pasando por esa difícil edad, apartó su plato y se fue de la cocina dando un portazo.

—¡Mira lo que has hecho! —dijo mamá.

—¿Yo? —dijo papá.

Berta había conseguido que todos se tiraran los trastos a la cabeza. Mamá y papá estaban comiendo tostadas tranquilamente, en paz con el mundo, cuando Berta entró con la chaqueta, la falda, el bombín y la corbata del colegio, con la goma elástica por fuera del cuello de la blusa. Llevaba mal puesto el uniforme del colegio a modo de protesta, y le había llevado tiempo pensar en cómo ponérselo. Berta era una niña rebelde, y solo la hermana Dorotea, la directora del colegio, podía decirle que su corbata

estaba mal puesta sin que ella se enfa-
dara.

Mamá y papá seguían en silencio,
mientras Berta hurgaba con la cuchara
en su cuenco de cereales. Debían crujir y
explotar cuando les echaba la leche, pero
hoy los cereales también callaban.

—Volveré sobre las siete —murmuró
papá mientras le daba un beso de despedida a mamá. Besó también a Berta, o
por lo menos lo intentó, pero el sombrero se interpuso en su camino.

—Tú se buena con mamá, y que ten-
gas un buen día.

Esa era una frase que acostumbraba
decir cuando estaba de viaje y llamaba a
casa. Pero no consiguió romper el hielo
con Berta. El día había empezado mal, y
ella tenía mucha curiosidad por ver
cómo empeoraría.

—¿Te vas a quitar el uniforme? —le
preguntó su madre, tan delicadamente
como pudo.

Berta se lo pensó. No le gustaba nada
su uniforme, el elástico de su corbata la

ahogaba, el elástico de los calcetines le irritaba la piel, el elástico de la falda le apretaba la tripa y el elástico del sombrero le dejaba una marca en la barbilla.

—A lo mejor tu peto rosa es mucho más cómodo —le sugirió mamá.

No había ninguna duda sobre eso. Si Berta se libraba de todos aquellos elásticos para entrar en la cómoda libertad de su peto, enseguida se sentiría mucho más a gusto. Pero, en realidad, le gustaba la sensación de estar en contra de todo. Así que continuó comiendo sus cereales sin responder.

El desayuno se había acabado, y Berta corrió a su habitación. Había decidido que se pondría su peto, pero no se quitaría el sombrero. Sería suficiente para demostrarles que tenía un espíritu propio; les recordaría que estaba de mal humor y así, al final del día, podría montarla por la profunda marca que le había dejado en la barbilla. Berta se quitó la chaqueta, los zapatos, los calcetines, la corbata, la blusa y la falda. Lo único que se dejó puesto fue el sombrero con la banda de rayas. Luego se puso el peto, que era suave y ancho. Un par de sandalias completaron su vestimenta de fin de semana.

Cuando la madre vio a Berta bajar las escaleras con el sombrero del colegio, abrió la boca, pero la volvió a cerrar. Que Berta estuviera de mal humor era como una tormenta en el océano. Todo lo que se podía hacer era cerrar las escotillas y esperar a que pasara.

Durante un rato, Berta enredó en todo lo que pudo. Se subió a una banqueta y le dio vueltas al abrelatas de la pared hasta que los tornillos que lo sujetaban estuvieron medio sueltos. Luego, cogió el plumero y se paseó por toda la casa, quitando el polvo de las cosas con tanta fuerza que las plumas de colores volaban por todas partes. Había empezado a jugar con el carro de las verduras, como si fuera un coche de policía llegando a la escena del crimen, cuando a mamá se le ocurrió una idea.

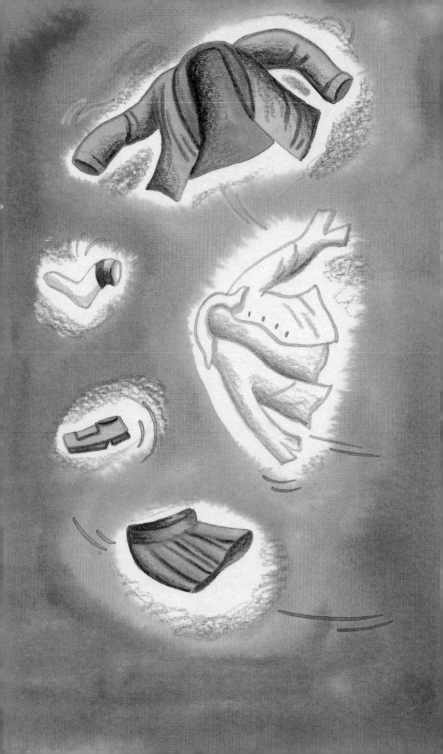

—¡Oh! —exclamó en voz alta—. Me pregunto si la habrán traído.

Si había una cosa que Berta no soportaba, era no enterarse de algo. El carro de las verduras paró de repente.

—¿Traído qué? —preguntó.

—La nueva piscina desmontable de Lucía —dijo mamá—. Su madre me dijo que se la entregarían hoy.

No hacía falta decir más. Berta abandonó el carro de las verduras y salió corriendo a colarse por el hueco del seto para buscar a su vecina Lucía. Y allí, en mitad del jardín, estaba la piscina desmontable, totalmente nueva. El fondo era de un azul precioso, con dibujos de peces y conchas, y a los lados había estampados de algas y castillos de arena. Berta vio que era lo suficientemente grande para dos. Ni siquiera habría que turnarse. A no ser, claro, que fueran tres. Tres nunca fue un buen número, alguien siempre se quedaba fuera. ¡Berta se encargaría de eso! Aunque por el momento no había ni siquiera dos personas, porque Lucía no estaba a la vista. Puede que estuviera dentro, cambiándose. Ojalá se diera prisa. Esperar era otra de las cosas que Berta no soportaba. Pensó que ganaría tiempo si la piscina se iba llenando. Para Berta pensar era actuar. Sabía dónde estaba el grifo del jardín, pero no tenía nada para transportar el agua. ¡Qué frustrante! Y para colmo, la goma elástica del sombrero se le estaba clavando en la barbilla. Berta decidió quitárselo un rato, mientras no miraba nadie.

Fue un gran alivio deshacerse de él. Sacudía su pelo rojizo mientras columpiaba el sombrero por la cinta elástica cuando se dio cuenta. ¡Cómo se parecía su som-

brero a un cubo pequeño! Probablemente no le pasaría nada. Después de todo, era solo agua. Y como la abuela solía decir: «El agua limpia nunca ha hecho daño alguno». Cierto que serían necesarios un montón de sombreros para llenar la piscina, pero por algo había que empezar.

Sin más contemplaciones, Berta corrió hacia el grifo. A medida que el sombrero se llenaba, la goma elástica se estiraba, y

Berta se dio cuenta de que tenía que poner la mano por debajo para sujetarlo. Cuando se llenó, lo llevó a la piscina y allí lo volcó. No hizo más que mojar un poco el fondo. Volvió hacia el grifo abierto y llenó el sombrero de nuevo. Hasta su noveno o décimo recorrido hacia la piscina no notó que el agua estaba calando a través del sombrero. En su decimoquinta visita al grifo, el sombrero decidió olvidar definitivamente su idea de ser sombrero, y Berta reparó en que solo tenía un trozo de fieltro flácido con una goma elástica, muy dada de sí, mientras el lazo del sombrero estaba en el charco de barro bajo el grifo.

Por otro lado, casi no había agua en la piscina; la mayoría estaba en una especie de riachuelo que se dirigía a la caseta del jardín del padre de Lucía. Berta pensó que tal vez fuera buena idea cerrar el grifo. Y era una buena idea; ¡sin duda! Así que intentó cerrarlo con una mano, mientras con la otra sostenía lo que una vez fue un sombrero de colegio. Pero no bas-

taba con una sola mano. El maldito grifo no quería cerrarse, y el agua seguía saliendo a borbotones. Tenía que utilizar las dos manos. Pero, ¿qué hacía con el sombrero? No había tiempo de buscarle un sitio limpio y seco para dejarlo, así que Berta pensó que sería mejor ponérselo de nuevo. Sintió un agradable frescor en la cabeza, pero, en vez de quedarse tieso como un casco, le caía sobre los ojos, de tal modo que tenía que echar hacia atrás la cabeza para poder ver lo que estaba haciendo. Agarró el grifo con las dos manos e hizo fuerza para cerrarlo; hizo tanta fuerza que la cara se le puso roja, y aun así no consiguió moverlo.

—¡Qué fastidio! —exclamó Berta.

«¡Qué fastidio!» no expresaba lo que sentía por ese grifo, pero en la familia de Berta nadie decía palabrotas, y la hermana Dorotea, aún menos. David, el de su clase, a veces decía «¡recórcholis!», pero a Berta eso le parecía una ñoñería. Debía de haber mejores expresiones, pero, por ahora, tendría que conformarse con «¡qué fastidio!».

Mientras aguantaba allí, calada hasta los tobillos, en el torrente que todavía salía del grifo, oyó unas voces, un grito de horror de la madre de Lucía y un chillido de admiración de la propia Lucía.

—¡Berta!, ¿qué estás haciendo? —gritó la madre de Lucía. Y sin esperar una respuesta, corrió hacia el grifo y lo cerró.

En ese momento, la cara de la madre de Berta apareció sobre el seto, y también ella soltó un grito. Tanto grito dejó a Berta sin otra cosa que hacer que sen-

tarse en el charco y dejar que el mundo siguiera su curso.

Mucho más tarde, cuando Berta estaba seca y vestida con ropa limpia, su madre todavía intentaba llegar al fondo del asunto.

—No entiendo —dijo por enésima vez— cómo ha acabado tu sombrero así de calado.

No tenía más que explicárselo, pero Berta, siempre pensó que era una falta de imaginación decir la verdad.

—Llovía —dijo. Y luego añadió—. A cántaros.

—¡Llovía! —exclamó su madre—. Y no se te mojó nada más, solo hasta donde llegaba el agua del charco.

—Solo llovió sobre mi sombrero.

—¡Pero eso es imposible! —la madre de Berta no podía esconder su desesperación.

—¡Ah! —dijo Berta sin pestañear—. Supongo que fue lo que la hermana Dorotea llamaría un milagro.

3
BERTA Y LA PANTOMIMA

Berta y sus compañeros iban a ir a ver una pantomima, y estaban todos entusiasmados. Todos excepto el padre de Berta, que se quejaba de que el colegio siempre le pidiese dinero; si no era para los gastos de la piscina, era para la fiesta de despedida por la jubilación de la hermana Ágata, y si no era para el minibús, era para un horno de cerámica.

—Y, ahora —decía— ¡es para pantomimas!

—Solo para una —dijo Berta. No le gustaba que la gente exagerase para esconder su tacañería.

—¡Una o veintiuna! —protestó su padre—. ¡Esa no es la cuestión! Mando a mis hijos al colegio para que los eduquen, ¡no para ir a pantomimas! A veces pienso que el colegio no es más que eso, ¡una pantomima!

Claro, que no se habría atrevido a decir lo mismo delante de la hermana Dorotea.

—Bueno, todos los demás irán —dijo Berta—. Lucía va. Yo seré la única que no vaya. Por lo menos, espero que me lo cuenten cuando vuelvan.

Sabía perfectamente que, a pesar de tantos gruñidos y protestas, papá acabaría soltando el dinero necesario. Pero, si lo que quería era montar el numerito, ella también se lo haría pasar mal a él.

El espectáculo era *El maldito gigante*, y lo representaban en el Gran Teatro de la ciudad. Había una sesión matinal para colegios. Berta nunca había estado en el teatro, y le apetecía mucho ir.

Llegó la mañana en cuestión, y todos se colocaron por parejas para subir al autobús. La pareja de Berta era Lucía, y también se sentarían juntas en el teatro. Su profesora iba con ellos, además de la hermana Dorotea en persona, y dos madres, para ayudar. Berta se ocupó de que ella y Lucía fueran las primeras de la fila, y consiguieron coger los dos sitios justo detrás del conductor. Se suponía que Berta iría en la ventanilla a la ida, y Lucía, a la vuelta.

El trayecto, aunque excitante, estuvo escaso de anécdotas. Nadie se mareó, ni siquiera Celia López, que siempre se mareaba en el autobús. Cuando llegaron se colocaron todos en fila, esperando a que la hermana Dorotea los llevara escaleras arriba y los colocara en sus asientos.

El teatro se llamaba Gran Teatro, y era realmente grandioso. El suelo estaba cubierto por una gruesa moqueta carmesí, y los pasamanos y candelabros eran de cobre. Las paredes estaban empapeladas con bandas rojas y doradas, y había enormes espejos con elaboradísimos marcos dorados.

La hermana Dorotea dijo que las butacas estaban en el piso de arriba, y que la siguiéramos por las escaleras. ¡Y qué escaleras! Berta se sentía como una princesa subiendo al baile en el palacio del príncipe azul. A medio camino hacia el piso de arriba, donde la escalera giraba, había una estatua dorada de un niño pequeño totalmente desnudo que sostenía una lámpara. Berta y Lucía hicieron como si nada, pero a David y Pablo les dio la risa floja, y la hermana Dorotea, un poco enfadada, les dijo que no fueran tan tontos.

En el piso de arriba había filas y filas de butacas. Estaban acolchadas y forradas de terciopelo color carmesí; y por todo el teatro cientos de niños subían y bajaban de golpe las butacas saltando sobre ellas.

La clase de Berta tenía que sentarse en la fila E, y, siguiendo a la hermana Dorotea, anduvieron a lo largo de la fila de butacas, hasta que les dijeron que pararan y se sentaran.

La hermana Dorotea se sentó en la última butaca, junto al pasillo. A su lado estaba Lucía, y luego estaba Berta, y jun-

to a Berta estaba Pablo, y al lado de Pablo estaba David. Esta no era una manera muy inteligente de colocar a los niños, pero en una excursión incluso la hermana Dorotea quería que todos lo pasaran bien. Pablo y David pensaban hacerlo a su manera, al igual que Berta pensaba hacerlo a la suya. Para Pablo y David, pasarlo bien significaba hacer el cochino; para Berta significaba dulces y refrescos. Para ella no había una auténtica excursión sin una buena provisión de chucherías, así que había traído al teatro una gran bolsa llena de chocolatinas, bombones, regalices y tetrabriks de zumo.

Cuando Berta se cansó de saltar sobre la butaca, decidió que había llegado el momento del refrigerio. Empezó con dos chocolatinas (dos, porque si en la boca te entran dos..., ¿por qué no comértelas?), pues les habían prohibido terminantemente beber antes del intermedio. Nadie podía ir al lavabo durante la representación, así que no era muy buena idea atiborrarse de zumo de naranja. Pues bien,

Berta era muy estricta con las reglas cuando se trataba de aplicarlas a otra gente, pero no sentía que estuvieran hechas para ella. Así que, el único problema era beber sin que la descubrieran... Pero hasta que no apagaran las luces sería complicado, pues la hermana Dorotea estaba sentada a una butaca de distancia. En un abrir y cerrar de ojos, la banda empezó a tocar, las luces se fueron apagando y se levantó el telón.

Su profundo interés por las aventuras del Maldito Gigante no hizo que Berta olvidara su sed, y muy silenciosamente buscó dentro de su bolsa, metió la pajita en un tetrabrik de zumo de naranja, y de unos pocos y poderosos sorbos lo dejó seco. La hermana Dorotea no se dio cuenta.

Era una buena pantomima, y Berta gritó, rio y cantó con entusiasmo. Era un esfuerzo que daba mucha sed, y pronto necesitó otra bebida. A la media hora se había bebido cuatro cartones, y empezaba a dudar si, después de todo, no habría sido mejor no haberlo hecho. Cuando se acomodaba en su asiento, deseó que no quedara mucho tiempo hasta el intermedio.

Mientras, la pantomima se hacía más y más entretenida. El gigante y su gato navegaban en busca de fortuna cuando avistaron un barco pirata. El capitán ordenó que se preparara el cañón, y entonces en la sala oyeron un fogonazo y un estruendoso «¡pum!». Todos saltaron de su asiento, gritaron del susto y luego rieron. Berta también saltó y gritó como los demás, y se reía con Lucía viendo al gigante luchar contra los piratas.

Todo esto sucedió un momento antes de que Berta notara una incómoda y húmeda sensación. Se movió con cautela en su asiento y descubrió la terrible realidad. ¡Cuánta razón tenía la hermana Dorotea! Berta pagaba ahora el precio de esas bebidas prohibidas... «¡Ay, qué vergüenza!».

Unos minutos después, el telón cayó sobre la victoria del gigante y las luces se encendieron. El teatro estaba lleno de niños ansiosos por comprarse un helado, por correr y por ir a los lavabos. Esto fue lo primero que hizo Lucía. Le sorprendió mucho que Berta no quisiera ir, y le molestó que no quisiera acompañarla.

—¿Por qué no? —preguntó.

—¡Porque no! —dijo Berta, y eso era lo que su padre siempre decía cuando no estaba preparado para seguir discutiendo. Y se quedó allí, sentada, agarrada a los brazos de su butaca y mirando al frente. Así que Lucía la dejó y siguió a la hermana Dorotea, que estaba guiando a su rebaño hacia los lavabos del teatro. Pablo y David pasaron empujándose por delante de Berta, y corrieron pasillo arriba. Berta siguió sentada, sola en su butaca, la única figura estática de todo el teatro. Una de las mamás se dio cuenta y se acercó para preguntarle si se sentía mal. Berta negó con la cabeza, y se agarró con más fuerza a los brazos de su butaca. Intentó consolarse con otra chocolatina, pero no podía pensar en algo que no fuera su ropa mojada y en la vergüenza que pasaría cuando

lo descubrieran. Tenía la esperanza de que, una vez acabada la representación, la hermosa, acolchada y aterciopelada butaca carmesí hubiera absorbido gran parte de la humedad.

Lucía volvió contando la historia de cómo a Pablo y David los habían pillado lanzando trocitos de helado a una de las señoras que trabajaban en el teatro. Normalmente, a Berta le habría entusiasmado la historia. Era fantástico ver cómo gente que no le gustaba, o incluso gente que le gustaba, se metía en problemas. Pero hoy no sintió ni una chispa de interés. Y cuando, minutos después, Pablo y David iban pasillo abajo acompañados por la hermana Dorotea con cara de pocos amigos, no pudo ni sonreír. Los chicos se volvieron a empujar por delante de ella, hasta saltar sobre sus asientos. Y, entonces, Berta oyó algo terrible.

—¡Chicas! —dijo la hermana Dorotea—, tengo que sentarme junto a esos malvados niños, así que moveos hacia aquí, por favor.

No se discutía con la hermana Doro-tea. Si decía «saltad», se saltaba tan alto como se pudiera; si decía«moveos hacia ese lado», uno se movía hacia ese lado, y Lucía estaba al momento en el sitio de la hermana Dorotea, pero Berta dudó. La hermana Dorotea, que gritaba mu-cho, no podía creer que Berta no la hu-biera oído, y no estaba de humor para esperar.

—¡Berta! —dijo.

Berta se levantó inmediatamente y se sentó en el sitio de Lucía. Entonces la corpulenta figura de la hermana Dorotea se sentó en la butaca de Berta.

En ese momento empezó la segunda parte de la pantomima, pero Berta no es-taba prestando atención al escenario. Aunque no se atrevía a mirar a la herma-na Dorotea, la sentía a su lado. Al cabo de un rato, oyó un crujido, cuando la hermana Dorotea se movió en la butaca, y sintió que clavaba sus ojos en ella mientras Berta mantenía los suyos clava-dos en el gigante.

Al final de la representación, la hermana Dorotea no le dijo nada a Berta. De hecho, estaba de lo más callada.

Pablo y David se encargaron de hacer circular la historia de que la hermana Dorotea se había hecho pis, y sabían que era verdad, porque habían visto su falda mojada.

4

BERTA Y LOS HUEVOS DE PASCUA

Berta adoraba el chocolate: nunca tenía suficiente y no importaba si le sentaba mal. Que le doliera la tripa después de engullir una tableta de chocolate con frutas y nueces, o una caja entera de chocolate con leche, no importaba. Si el dolor era la consecuencia de comer un montón de chocolate, tenía que aceptar las cosas tal como eran y hacer de tripas corazón. Pero no quiero dar la impresión de que la vida de Berta era un ciclo continuo de engullir chocolate, dolor de tripa, engullir más chocolate, dolor de tripa de nuevo, y así sucesivamente. Las oportunidades de engullir mucho chocolate eran pocas. En su casa normalmente no había tabletas ni cajas de chocolate, y Berta, rara vez tenía suficiente dinero como para comprarse algo más que un bolsa pequeña de lacasitos.

Todo el mundo tiene una época favorita del año. La Navidad es la más común, así como las vacaciones de verano, pero para Berta, la Pascua era su preferida, ya que el domingo de Pascua era el único día dedicado al chocolate, la única fiesta donde se regalaba y se comía chocolate, te gustara o no. A Berta, por supuesto, le encantaba. Y encima, el chocolate venía con forma de huevo de Pascua.

Berta miró en el calendario de la cocina para contar los días que quedaban hasta Pascua. El número era astronómico, y Berta no sabía cómo iba a sobrevivir sin chocolate tanto tiempo. La última vez que había comido mucho chocolate era en Navidad, cuando consiguió robarlo del árbol de Navidad y se lo comió todo detrás del sofá, mientras la familia veía la película *Cuento de Navidad* en la tele.

Podía haber conseguido que nadie se diera cuenta, pero cuando a Berta le dolía la tripa después de un atracón, siempre resultaba, utilizando el lenguaje del mundo del espectáculo, «una gran representación».

Los días que faltaban para Pascua se hacían interminables, y Berta necesitó todo su sentido común para convencerse de que cada día que pasaba quedaba uno menos para los huevos de chocolate. Así que las páginas del calendario se fueron llenando de días que Berta iba tachando, hasta que, con menos de dos semanas de antelación, apareció la página donde estaba la Pascua. Y poco después aparecieron los huevos. Estaban los dos que habían comprado los padres de Berta, uno para Berta y otro para Jimena. Los dos de la abuela también; y este año, la tía Viviana, a quien no solían ver muy a menudo porque estaba ocupada con su trabajo en Londres, vino un fin de semana, y trajo también un par de huevos. Así que, alineados en el aparador había seis

huevos para admirar y desear, pero que no se podían tocar hasta el día de Pascua.

Esto no supuso un esfuerzo para Jimena, a quien se le daba muy bien esperar. Era una de esas insoportables personas que podían hacer que las cosas durasen. Un atracón de chocolate en la mañana de Pascua no iba con ella; Jimena se pasaba meses mordisqueando el huevo de Pascua.

La visión de esos huevos era un tormento para Berta. Su deseo era tan intenso que incluso llegaba a babear. Aun así, mantuvo sus manos lejos del aparador, ya que la amenaza de dárselos a los niños pobres, en el caso de que los tocara antes del día de Pascua, le proporcionó suficiente autocontrol. Así que, pacientemente, fue tachando días en el calendario. Todo habría ido bien de no ser por Débora, la tía de Lucía.

Tía Débora iba a una iglesia con el tejado de latón, lo que resultaba muy ruidoso cuando llovía. Esto realmente no tenía mucha importancia, ya que la gente que estaba dentro de la iglesia era también muy ruidosa. Solo quedaba una semana para Pascua, cuando Lucía le dijo a Berta:

—Mi tía Débora dice que el mundo se va a acabar el sábado de Pascua.

Lucía dijo esto con orgullo, porque no hay muchas personas cuyas tías sepan estas cosas. Berta estaba bastante celosa de Lucía, porque su tía Viviana solo sabía cosas sobre la venta de programas de ordenador. Pero, en vez de ponerse a discutir, Berta se paró a pensar sobre lo que la tía Débora había dicho. Si el mundo se acabara el lunes de Pascua, habría sido una mala noticia, pero... ¡El sábado de Pascua! ¡Antes de que ella tuviera la oportunidad de comerse los huevos de Pascua! ¡Qué catástrofe!

Berta volvió corriendo a casa y se plantó delante del aparador, mirando fijamente los huevos, destinados a desaparecer sin ser saboreados ni comidos. Su primer impulso, por supuesto, fue el de coger los suyos y devorarlos al instante,

pero sabía que sus padres no considerarían el fin del mundo una excusa lo suficientemente buena. Berta miraba los huevos con su brillante envoltura y, mientras miraba, los ojos se le llenaron de lágrimas. Porque no solo estos, sino miles de huevos de chocolate iban a ser malgastados, y todo porque el fin del mundo no podía esperar un par de días más. Ahí estaban los huevos, guardados en las cajas, con sus gorditas panzas asomando a través de la figura recortada que hacía posible que se vieran. Los huevos eran más grandes de lo que parecían, porque más de la mitad de su cuerpo estaba oculto.

Entonces, Berta tuvo una idea brillante. No era la solución perfecta al problema, pero era más que nada. No tendría una oportunidad mejor, ya que papá estaba fuera por negocios, Jimena estaba en casa de una amiga practicando duetos de violín y flauta, y mamá había subido al piso de arriba a trabajar un poco en el tapiz que intentaba terminar para la exposición del Instituto de la Mujer. Así que no había moros en la costa, y Berta no quería perder el tiempo. No era su estilo.

Cogió el primero de los huevos, y con mucho, mucho cuidado abrió la caja y lo sacó. Retiró parte del envoltorio, y con un golpe seco de su dedo índice rompió un trozo, que se fue comiendo poco a poco. Tan delicioso estaba que se le puso la carne de gallina. Pero no se dejó llevar, y antes de que el agujero que estaba haciendo fuera demasiado grande, Berta puso el huevo nuevamente en su caja, con la parte mordida por detrás, de modo que no se notara que lo habían tocado. A continuación, repitió el procedimiento con su segundo huevo, y luego, con su tercero. Lo más difícil de todo era dejar de romper trocitos.

Luego se quedó mirando los huevos, encantada de que parte de ellos, al menos, no se desperdiciara cuando el sábado llegara el fin del mundo. Pero su ansia de chocolate estaba lejos de verse satisfecha, y todavía quedaban los huevos de Jimena. Sería un desperdicio no comérselos. ¡Era tan injusto! Deseaba hacer lo mismo con los huevos de Pascua de Jimena, pero tocar cualquiera de sus cosas podía costarle la vida; y todo porque un día le había cogido prestado el tutú de ballet para jugar a las hadas con Lucía. El roto había sido muy pequeño y, después de que lo arreglara mamá, casi ni se notaba. Así que nadie podía saber lo que haría Jimena si veía que se habían comido parte de sus huevos de Pascua.

Entonces, claro, Berta se dio cuenta de que Jimena nunca lo descubriría. Si llegaba el fin del mundo no tendría tiempo suficiente para preocuparse por los huevos de Pascua. Así que Berta se puso manos a la obra, y cuando terminó, colocó de nuevo los seis huevos alineados en el aparador. Se sentía un poco empachada, pero la tripa todavía no le dolía mucho, ya que los trocitos de chocolate que había comido eran muy finos; los trozos gruesos, como sabía por experiencia, estaban en lo alto y en la base del huevo. Fue al baño a lavarse cualquier rastro de la boca y los dedos, y nadie notó, adivinó o sospechó que los huevos no estuvieran intactos.

Pasó el martes, el miércoles, el jueves... Y llegó el viernes; la víspera del fin del mundo. A la familia no pareció importarle cuando Berta les dijo que Débora, la tía de Lucía, había dicho que el mundo se acabaría al día siguiente. Así que, esa noche, Berta se aseguró de darle un beso de buenas noches a todo el mundo, incluso a Jimena. Y se fue a dormir con la esperanza de que el fin del mundo resultara interesante.

Pero el fin del mundo tardaba mucho en llegar. Cuando Berta se despertó el sábado por la mañana, los periódicos, el correo y la leche ya habían llegado, pero no el fin del mundo. Y no llegó a la hora de comer, ni tampoco para la merienda. Berta se empezaba a preocupar. Habría estado preparada para cualquier cosa que trajera el fin del mundo, pero no para lo que pasaría si Jimena descubría que sus huevos no estaban enteros.

A la hora de irse a la cama, Berta estaba bastante nerviosa. Su única esperanza era que el fin del mundo llegara antes de que el reloj diera las doce de la noche. Así que se tumbó en la cama, escuchando el reloj del pasillo. Oyó las campanadas de las nueve antes de dormirse.

Tal vez porque estaba preocupada, el domingo por la mañana se levantó antes que los demás. Todo seguía como siempre. Miró por la ventana, y el mundo seguía ahí. ¡Débora se había equivocado! ¡Lucía se iba a enterar! Pero ¿qué podía hacer ahora? Jimena se daría cuenta. ¡Esto iba a ser mucho peor que lo del tutú!

Berta pensó que si lo malo iba a pasar por haberse comido parte de los huevos de Pascua, la cosa no empeoraría mucho si se los comía todos, y corrió escaleras abajo.

Cómo será el fin del mundo solo se puede imaginar, pero es difícil creer que sea mucho peor de lo que dijeron la mamá de Berta, su papá y Jimena. Todos corrieron escaleras abajo hasta el salón, y se quedaron sin palabras. El suelo estaba lleno de trozos de cartón, de envolturas de celofán y papel de aluminio. Y, en medio de todo ello, estaba Berta, con la cara y las manos embadurnadas de chocolate.

—¡Pero bueno! —gritó papá cuando se dio cuenta de la situación—. ¡Seis huevos de Pascua enteros! ¡Este pequeño monstruo se ha comido los seis!

5
BERTA
Y EL NACIMIENTO

A Berta no le gustaba tener el papel secundario en los juegos. Si jugaban a los hospitales, ella tenía que ser el doctor y operar a Lucía; si el juego era el colegio, ella tenía que ser la profesora y regañarlos a todos y hacerles repetir los ejercicios de nuevo; cuando jugaban a hadas y brujas, ella era la bruja, porque es mucho más divertido hacer de malo que de bueno.

Así que, cuando la hermana Dorotea tuvo que escoger a los niños para los papeles de la representación del Nacimiento, Berta sabía que el único papel para ella era el de María. El niño Jesús siempre era un muñeco que se pasaba el resto del año en una caja encima de un armario del despacho de la hermana Dorotea, y no tenía nada que hacer ni que decir. María era el papel estelar. El año anterior, eligieron a Berta para representar a uno de los ángeles, y lo único que hizo fue permanecer de pie, sin pestañear, con los demás ángeles. Fue muy aburrido.

Se sintió completamente decepcionada cuando descubrió que este año ella sería solo una simple estrella; ni siquiera la estrella que guiaba a los Reyes Magos hasta el portal. Cuando preguntó a la hermana Dorotea qué es lo que hacía exactamente una estrella, ella le dijo:

—Centellear, cariño.

Berta no dijo nada más, pero la hermana Dorotea podría haber adivinado, por la cara de disgusto de Berta, que iba a ser difícil sacarle un solo centelleo. Lucía también haría de estrella, pero ella estaba encantada de ser solo una más entre la multitud, y centellearía tan contenta, si alguien le enseñaba cómo hacerlo, claro.

El papel de María era el último en anunciarse y, para disgusto de Berta, se lo dieron a Ana Jiménez. Así que ella era más guapa que Berta, había ganado un premio por recitar poesía, no se mordía las uñas, escuchaba atentamente lo que se le decía... ¡Y qué!

El único consuelo de no hacer de María era que no tendría que aguantar al pesado de Daniel García, que hacía de José, poniéndole el brazo por encima de

los hombros. Aunque este era un sacrificio que habría hecho con tal de ser el centro de atención.

Pronto empezaron los ensayos. Las estrellas tenían dos apariciones en la representación. La primera era cuando los pastores se están lavando y el ángel les dice que vayan en seguida a Belén; y la segunda era en el portal, donde los pastores, los Reyes Magos y todo el mundo se reunía sobre el escenario para cantar *A Belén, pastores*.

Berta sentía que el papel de estrella no le daba ninguna oportunidad de brillar. Así que, se dijo a sí misma, para qué esforzarse intentando sacarle provecho. Se movió cuando le dijeron que se moviera, y se quedó de pie cuando le dijeron que se quedara de pie. Pero no centelleó. Centellear, según les explicaron, quería decir sonreír, y Berta se negó a sonreír. Ella era la única estrella de la noche que estaba deprimida. Las estrellas no tenían nada que decir, aparte de cantar los villancicos.

Pero, antes de que empezara la representación para los padres, Berta se había aprendido de memoria cada línea del papel de María. Bueno, había tenido que escuchar a Ana Jiménez unas cuantas veces.

—¡Oh, José! Voy a tener un hijo, y se llamará Jesús... ¡Oh, José! Estoy muy cansada; ¿dónde dormiremos esta noche?... Gracias, posadero, el establo nos servirá —y así todo.

Bueno, puede que Ana Jiménez hubiera ganado un premio por recitar poesía, pero a Berta no le pareció gran cosa el papel de María. Berta había visto un montón de obras en la televisión, donde había mujeres que iban a tener un niño, y no hablaban como Ana Jiménez.

Cuando llegó el día de probarse los trajes, todos estaban muy nerviosos, porque siempre es divertido disfrazarse. Este era el primer año que había estrellas en la obra, y Berta se preguntaba qué iban a ponerse. No le gustó mucho cuando descubrió que era una especie de sábana teñida de azul oscuro con un agujero en el centro para sacar la cabeza. Era, según le dijeron, el cielo nocturno, y tenía una estrella hecha con cartulina y cubierta con papel de plata que se encajaba en la cara. Berta sabía que el disfraz no le sentaba bien y, lejos de centellear, su cara de disgusto se hizo aún más evidente. Incluso durante el ensayo final, cuando la hermana Dorotea dijo en alto:

—Ahora, estrellas, centellead, por favor... ¡todas!

Pero los labios de Berta permanecieron inmóviles.

Por la tarde estaban todos ya preparándose para la verdadera representación. Las aulas, donde se vestían y se arreglaban las barbas y pelucas, estaban llenas de ruidosos pastores y ángeles y Reyes Magos y pajes de los Reyes Magos, y gente de Belén y, por supuesto, estrellas. Todos corrían de un lado para otro, cada vez más nerviosos.

Solo faltaban unos diez minutos para que empezara la obra cuando la hermana Dorotea dijo en alto:

—¿Dónde está Ana?

Nadie sabía nada. Nadie la había visto. En ese momento la hermana Agnes entró corriendo y dijo que el padre de Ana había llamado para decir que su hija se encontraba muy mal, que estaba enferma. Ana no podría actuar en la representación.

—¡Oh!, ¿por qué? —se lamentó la hermana Dorotea—. ¿Por qué no habremos hecho que alguien más se aprendiera el papel de María, por si ocurría algo así?

—Yo me lo sé.

Las palabras eran claras, aunque silbantes, como si a quien hablaba le faltaran los dos dientes delanteros. La hermana Dorotea miró a su alrededor para ver quién había hablado, y vio a una estrella con cara pecosa.

—¿Has dicho que te sabes el papel de María, Berta?

—Sí —dijo Berta—. ¡Oh, José! Voy a tener un hijo, y se llamará Jesús... ¡Oh, José! Estoy muy cansada; ¿dónde dormiremos esta noche?... Gracias, posadero... —y siguió, sin equivocarse ni una sola vez.

La hermana Dorotea era directora porque sabía tomar decisiones difíciles. Se volvió hacia la hermana Agnes y dijo:

—Dile a la hermana Cecilia que siga tocando villancicos con su acordeón —luego se dirigió a Berta—: Debemos ponerte el vestido de María cuanto antes. Una estrella menos no importará.

¡Esto era lo que Berta llevaba deseando todo este tiempo!

Berta era un poco más grande que Ana, más alta y más gordita, así que el vestido de María no le sentaba nada bien. La hermana Dorcas tuvo que descoser rápidamente un pliegue de la parte de atrás del vestido. Afortunadamente, el velo largo y azul que Berta debía llevar cubriría el hueco que quedaba.

Por fin estaba lista, y todos los actores ocuparon sus puestos en el escenario. La hermana Cecilia fue interrumpida a la mitad de su tercera versión de *Hacia Belén va una burra;* las cortinas se abrieron y comenzó la representación.

Siempre se dice que los buenos actores son un manojo de nervios, pero Berta no sentía ni un solo nervio en el cuerpo. Estar en el escenario, con cientos de personas mirando, era fantástico. Le encantaba. Era de ese tipo de actores que viven su papel.

Esto puede ser muy bueno, hasta cierto punto. Las representaciones funcionan porque todos los que trabajan en ellas saben qué va a ocurrir y qué deben decir; para eso hay ensayos.

Así, a medida que transcurría la obra, Berta encontraba más y más difícil recordar las palabras que había memorizado. El carácter de María la ponía un poco nerviosa, porque dejaba que todos abusaran de ella, y ese no era el estilo de Berta.

José y María habían llegado a Belén y buscaban un sitio donde alojarse. El mesonero acababa de decirle al asqueroso de Daniel que podían utilizar su establo por esa noche; y justo después, María debía decir:

—Gracias, posadero; el establo nos servirá.

Pero las palabras se le atragantaron en la garganta. De ninguna manera iba a permitir Berta semejante trato.

—¡Un establo! —explotó—. ¡Si crees que voy a tener a mi hijo en un sucio y viejo establo, estás muy equivocado!

El posadero, que no se había aprendido otras palabras, miró desconcertado a su alrededor y repitió:

—Podéis utilizar mi establo por esta noche.

Berta se volvió hacia el asqueroso de Daniel.

—Y tú, ¿te vas a quedar ahí quieto como una estatua? Dile que nos tiene que

encontrar una agradable habitación con baño completo —y, para meter más prisa al posadero, recordó una escena de una serie de televisión—: ¡Ah! —lloró—. ¡El niño!... ¡Ya viene!

En ese momento de gran dramatismo, la hermana Dorotea ordenó que se cerraran las cortinas.

Antes de la escena final (esa en la que los pastores y los Reyes Magos llegan al establo), la hermana Dorotea habló con Berta. María no tenía que decir nada en esta escena, solo tenía que sonreír. La hermana Dorotea fue todo lo lejos que una hermana de la caridad puede llegar, y le advirtió a Berta que si pronunciaba una sola palabra, entonces, ¡no respondería de sus actos!

Berta se mantenía en silencio, aguantando el rapapolvo. Aunque el enfado de la hermana Dorotea no era nada comparado con el atronador aplauso que el entusiasmado público le había brindado.

6

BERTA
Y EL PASTEL
DE NARANJA

La hermana de Berta siempre ganaba algún premio. Las paredes y las estanterías de su cuarto estaban llenas de diplomas y trofeos. Jimena probablemente ha ganado todos los premios a los que se ha presentado.

Berta también tenía entusiasmo y ambición, pero, hasta la fecha, lo único que había conseguido era llegar tercera en la carrera de sacos anual. Berta estaba harta de los éxitos de Jimena, y que su hermana se clasificara para el concurso de televisión *Campeón de cocina junior*, fue la gota que colmó el vaso.

Como parte del programa, antes de empezar a cocinar presentaban a cada concursante, y la gente de la televisión quería mostrar a Jimena en acción, cocinando para su familia. Así que se fijó un día para que el equipo fuera a filmar a casa.

¡Qué alboroto! No quedaba ni una cuchara de café, ni un pincho para la carne que no brillara. Hicieron cortinas nuevas para la cocina, pusieron manojos de hierbas frescas y colgaron ristras de ajos para decorar. Los paquetes de palitos de merluza y las latas de tomate, que era lo que normalmente comía Berta, los escondieron para que no se vieran. Jimena habría escondido a Berta también, pero la gente de la televisión había insistido en que querían ver a toda la familia; decían que una hermanita pequeña, así llamaban a Berta, sería buena para su imagen de colaboradora y responsable hermana mayor. ¡Ni hablar del asunto! Ni loca permitiría Berta que la utilizaran para que Jimena pareciera doña Perfecta; ni siquiera diciéndole que aparecería en la televisión.

Cuando llegó el gran día, la familia se despertó al amanecer. Desayunaron té y bocadillos, preparados la noche anterior, ya que nadie podía entrar en la cocina, que estaba tan limpia como un teatro nuevo a punto de ser inaugurado por la reina. A Berta la bañaron y le pusieron su mejor vestido, y le prohibieron salir al jardín, donde sin duda se ensuciaría, hacerse un refugio debajo de la cama de sus padres, donde su vestido se arrugaría y se llenaría de polvo, así como jugar con la plastilina.

—Entonces, ¿qué puedo hacer? —preguntó.

—Bueno —sugirió mamá—, podrías leer un libro o, tal vez, podrías jugar con tus muñecas.

Berta no respondió. Nunca en su vida había jugado con una muñeca; una vez se metió en serios problemas por enterrar una. Al final, Berta no hizo nada. Solo protestar y resoplar mientras iba de un lado a otro, retorciéndose el lazo del pelo y metiéndose entre los pies de todo el mundo, hasta que Jimena gritó:

—¿Qué haces ahí, niña?

A lo que Berta respondió con dignidad:

—Bueno, tengo que estar en alguna parte, ¿no?

Antes de que Jimena se pusiera histérica, sonó el timbre de la puerta. Habían llegado los de la televisión. Eran tres personas: un hombre corpulento con barba y voz chillona, encargado de las luces y de la cámara, un hombrecito delgaducho de voz profunda y ronca, encargado del sonido, y una mujer, que parecía estar encargada de los dos hombres y que se presentó a sí misma como Melisa.

—¡Hola! —dijo lentamente—. Tú debes de ser Jimena, la estrella del programa, y vosotros debéis de ser los orgullosos padres, y esta... —miró a Berta y consultó sus notas—. Sí, tú eres la hermanita pequeña. ¡Hola, hermanita!

Melisa dio una vuelta por la casa y el jardín, hablando con sus compañeros sobre la composición, la luz y el sonido.

—Bien —dijo a la familia—, esto es lo que haremos. Primero, una secuencia de

Jimena tocando la flauta en el salón; si movemos el aparador y colocamos el sofá al otro lado de la habitación, no parecerá tan desordenado. Después Jimena puede sentarse en el columpio del jardín mientras charlo con ella. Y, finalmente, iremos a la cocina para hacer un par de tomas mientras prepara... ¿qué era? ¡Ah!, sí; un pastel de naranja. ¡Qué laborioso! —se movió hacia Berta y dijo—: Cuando seas mayor, también podrás hacer cosas ingeniosas. Claro, que cocinar es un don, como tocar la flauta. Y no hay duda de que tu hermana tiene mucho talento. Es un difícil ejemplo a seguir.

—Primero, tomaremos una secuencia de introducción de Jimena llegando a casa, con toda la familia en la puerta saludando —decía Melisa—. Después grabaremos a Jimena a solas.

Berta no sonrió en la toma de la bienvenida. Casi mejor, pensó Melisa, ya que había visto el horrible hueco en la boca de Berta.

Cuando terminaron la primera secuencia, no se dieron cuenta de que, mientras los padres de Jimena andaban por el jardín para ver la filmación, la «hermanita pequeña» había desaparecido de escena.

Bien, puede que el mundo entero pensara que Jimena era una maravilla, pero para Berta el mundo entero no tenía el listón muy alto. No veía nada tan maravilloso en los éxitos de Jimena. Vale, había conseguido diplomas por tocar la flauta, pero nunca tocaba una canción que se pudiera bailar. Hacía ballet, pero cualquiera podía saltar de puntillas con un tutú tan corto que se veían las bragas; y respecto a lo de ser un genio con las sumas, bueno, había máquinas que podían hacer eso. Y lo mismo con la cocina de Jimena; realmente, el pastel de naranja era un buen ejemplo: tal y como Berta lo veía, la batidora hacía todo el trabajo. Jimena había hecho tantos ensayos que la familia estaba empachada de pastel de naranja, y Berta estaba convencida de que cualquier idiota podía hacer uno.

«Un difícil ejemplo a seguir...» había dicho Melisa. Sus palabras eran todo un reto, y allí mismo, Berta decidió que se iba a enterar.

Cuando todo el mundo entró en el salón para filmar a Jimena tocando una de sus piezas, Berta, se coló discretamente en la cocina y cerró la puerta. Todo estaba preparado sobre la encimera: huevos, zumo de naranja, cáscara rallada, azúcar, margarina, harina, el molde de hojalata. Lo que tenía que hacer era meterlo todo en la trituradora, excepto el molde de hojalata, claro.

El primer obstáculo fue que la encimera era demasiado alta para Berta, así que acercó una silla y se puso de pie encima. El segundo obstáculo fue la tapa de la trituradora; estaba tan dura que no podía quitarla. Su cara se puso roja por el esfuerzo, y llamó a la trituradora por unos cuantos nombres muy poco amables antes de darse por vencida. Como también tenía a mano la batidora, y su tapa se quitaba con bastante más facilidad, decidió utilizarla. Tenía menos accesorios que la trituradora, pero mezclaba las cosas, que era lo importante.

Lo primero que decía la receta era: coger tres huevos. Berta cogió uno de la huevera. Había observado el modo en que Jimena rompía la cáscara contra el borde de la batidora y luego vaciaba el contenido en ella. Tal vez las cáscaras de huevo no son lo duras que debieran ser, o tal vez Berta golpeó el huevo demasiado fuerte; en cualquier caso, clara, yema y cáscara de huevo salpicaron el vestido de Berta y encharcaron la encimera.

Berta estaba enfadada, pero no desanimada. Cogió otro huevo. Tenía los dedos resbaladizos, y este segundo huevo salió disparado como una pastilla de jabón. Voló por el aire igual que un cohete y regresó a la tierra, donde explotó en el suelo de la cocina. Berta empezaba a pensar que no se podía confiar en los huevos y tomó precauciones.

Primero encontró un cuenco para mezclar, cogió otro huevo y lo rompió estrellándolo contra el fondo del cuenco. Esta vez no se perdió nada del contenido, pero unos cuantos trozos de cáscara quedaron en la mezcla.

Berta repitió el proceso con un segundo huevo. Como había ya huevo en el cuenco, esta vez salpicó bastante más. Y con el tercero, el huevo parecía estar ganando posiciones: subía por los brazos de Berta, le cubría las gafas, y había mucho más en el dobladillo de su vestido, que utilizó para intentar limpiárselas. Pero al final, tenía tres huevos en el cuenco, y los vertió en la batidora.

Berta no era de esa clase de cocineros que limpian a medida que manchan, y el cuenco sucio, los trozos de cáscara, la yema pegajosa y la clara de huevo hacían que la cocina pareciera un campo de batalla. Pero Berta continuó cocinando su pastel con entusiasmo. Una vez superado este paso, lo demás sería coser y cantar. Tan solo faltaba añadir el resto de ingredientes en la batidora. El único problema era que la batidora no era tan

grande como la trituradora, y resultaba más difícil meter las cosas sin que rebosara.

Berta empezó con los ingredientes más fáciles. La cáscara de naranja rallada que había en el cuenco entró sin dificultades. Así que Berta no fue tan cuidadosa como debía con el azúcar: una parte se derramó sobre el pringue de huevo de la encimera, y otra parte cayó al suelo. Con la margarina no tuvo ningún problema, pero con el calor de la cocina los trozos se habían pegado entre sí, y Berta tuvo que usar los dedos para separarlos. Al poco rato había margarina por todas partes.

Con el zumo de naranja tampoco hubo complicaciones, y fue justo después de verterlo en la batidora cuando Berta recordó que debía echarse sobre el pastel, para que se introdujera a través de unos agujeros que había que hacer con un punzón, pero esto tenía que hacerlo después de sacarlo del horno.

—¡Recórcholis! —dijo Berta.

Y luego decidió que realmente no importaba, ya que el zumo iría en el pastel de un modo u otro.

El último ingrediente era la harina, que tenía su truco. Había estado en el cuenco bastante tiempo y había reposado, así que, cuando Berta empezó a volcarlo, la harina no se movió. Pero cuando lo hizo, lo hizo de golpe. Parte fue a parar a la batidora, pero otra gran parte, no, y una nube de polvo de harina quedó flotando en el aire.

De todos modos, la mayoría de los ingredientes estaban en la batidora; lo único que faltaba por hacer era ponerla en marcha, y Berta apretó el botón con seguridad. En ese momento, Melisa abrió la puerta de la cocina y entró diciendo:

—Y aquí es donde ocurre todo.

¡Qué acertada estaba! Cuando se cocina es fácil olvidar algo. Berta había olvidado poner la tapa a la batidora, por lo que, en el instante en que la puso en marcha, la cocina se inundó de huevo, azúcar, margarina, zumo de naranja y harina. De las paredes y del techo goteaba mezcla de pastel de naranja, y Melisa, que vestía ropa cara, soltó un gritito cuando la batidora le salpicó en su falda de ante, su blusa de pura seda, su permanente de peluquería y su maquillaje. Cuando recuperó la vista y la voz, lo que dijo no fue precisamente «¡Hola, hermanita pequeña!»... Basta con indicar que fue mucho más fuerte que ¡recórcholis!

Todo ocurrió en cuestión de segundos; cuando la mamá de Berta pudo alcanzar la batidora y apagarla, el daño ya estaba hecho. Ni la cocina ni Melisa estaban en condiciones de seguir filmando ese día. Jimena estalló en un incontrolable llanto, el padre de Berta pensó amargamente en el tiempo y dinero necesarios para redecorar la cocina. Santi y Javi, que cobraban, fuera o no saboteado su trabajo, simplemente se encogieron de hombros y comenzaron a recoger su equipo.

Al parecer, la cadena de televisión no pudo incluir otra visita en su plan de trabajo para filmar a Jimena en la cocina; así que el mundo nunca pudo contemplar cómo cocinaba el delicioso pastel de naranja. Pero sí pudieron ver a la familia de Jimena: unos padres sonrientes y orgullosos, y una enfurruñada hermanita pequeña.

7
BERTA Y EL
PEQUEÑO BORJA

Incluso antes de ver por primera vez al pequeño Borja, Berta tenía la impresión de que nunca dejarían de hablarle de él.

El pequeño Borja era el hijo único de una vieja amiga del colegio de la madre de Berta, «tía» Sandra. «Tía» Sandra y la madre de Berta no se habían visto desde hacía muchos años. Por alguna razón habían perdido el contacto.

Un día se encontraron, y tenían tanto de que hablar, tanto que saber la una de la otra, que no querían perder el contacto de nuevo. Al cabo de unos días, la madre de Berta fue a pasar el día a casa de la «tía» Sandra, y al volver, tenía muchas cosas que contar, sobre todo del pequeño Borja.

Era más o menos de la edad de Berta. La «tía» Sandra había formado la familia un poco tarde; pero, según la madre de Berta, el pequeño Borja había merecido la espera.

—¡Qué niño tan mono! —suspiraba la madre de Berta—. Tanta belleza es casi un desperdicio en un chico. Va a romper muchos corazones cuando sea mayor; toma nota de lo que digo.

Berta, que había oído ya lo suficiente sobre Borja como para recordarlo el resto de su vida, tenía más ganas de romper platos que de romper corazones. Pero su madre no se había cansado aún de cantar las alabanzas del pequeño Borja.

—¡Y es un niño tan dulce! —exclamó.

Nadie se había referido espontáneamente a Berta como una «niña tan dulce». Hasta la tía Ana, cuya religión la obligaba a buscar lo mejor de cada uno, tenía un verdadero conflicto en el caso de Berta. Pero las virtudes de Borja no tenían fin. Que si los modales del pequeño Borja, que si la profundidad del pequeño Borja, la inocencia del pequeño Borja, la bondad del pequeño Borja... Lo que quería Berta era darle una buena patada en la espinilla al pequeño Borja. Y si eso era lo que más deseaba, ya tendría ocasión de hacerlo; la «tía» Sandra les iba a devolver la visita; y traería al pequeño Borja.

Llegó el día de la visita, y, poco antes del almuerzo, sonó el timbre de la puerta.

—¡Seguro que son ellos! —dijo la madre de Berta, que había pasado la mañana entera corriendo por la casa, dando el toque final a todas las cosas, porque la casa de la «tía» Sandra era casi tan perfecta como el pequeño Borja, quien, por lo visto, nunca montaba una escenita por tener que recoger sus juguetes: las escenitas que montaba Berta cuando le decían que recogiera todas las cosas que había dejado por cada rincón eran aterradoras.

—Berta, trata de ser amable —dijo su madre un poco nerviosa, mientras se miraba un momento al espejo y corría hacia la puerta con una amplia sonrisa de bienvenida.

Berta permaneció en la cocina, embadurnando el cuaderno de pintura mágica. Tenía la boca aún sucia del desayuno; parecía un felpudo. Oyó los grititos de bienvenida en el vestíbulo, los besos exagerados, y a su madre, con voz cantarina:

—¡Hooooola, Borja! —y luego la llamó como si no supiera nada—: ¡Berta!... ¡Borja y la «tía» Sandra están aquí!

Berta se quedó en el lugar adecuado, dejando claro que conocer al pequeño Borja no la hacía nada feliz. Se temía lo peor, pero no estaba preparada para descubrir que lo peor fuera tan malo; lo que vio le hizo recordar casi afectuosamente a Pablo y a David. El pequeño Borja no era normal; solo sus pestañas aterciopeladas habrían hecho morir de envidia a la mayoría de las chicas. Iba vestido con pantalones de marca, sudadera de marca, zapatillas de marca y una gorra de béisbol también de marca. Parecía sacado de un catálogo de moda, y sin duda, así era, ya

que a menudo le utilizaban de modelo. Claro, que se puede ser muy guapo, pero también simpático. Y si el pequeño Borja le hubiera sacado la lengua a Berta y le hubiera tirado de la nariz, ella habría hecho de tripas corazón para soportarle durante una hora o dos. Pero no lo hizo. En vez de eso, dijo ceceando:

—Hola *Bezta*.

Y le ofreció la misma sonrisa que había disparado las ventas del dentífrico Dentiguay.

A Berta, por cierto, no le importaba demasiado su propio aspecto. Los ojos, pensaba, eran solo para ver; la boca, para comer, y el pelo, para no ser calvo. Pero cuando la reluciente sonrisa de Borja le recordó el enorme hueco que tenía en los dientes de arriba, apretó los labios con una mueca.

—¡Es tímida! —rio la madre de Berta, y se sonrojó por la mentira tan descarada que acababa de decir.

—¡Huy, la criatura! —dijo la «tía» Sandra, que sentía lástima por todas las mujeres que no tenían la suerte de ser madres del pequeño Borja.

Berta siguió mirando al pequeño Borja, pero Borja solo movía las pestañas ladeando la cabeza, como había aprendido de un anuncio de televisión; pero esto no hizo ningún efecto sobre Berta.

—Aún es pronto para comer, nos da tiempo a tomar un jerez mientras terminan de hacerse los espaguetis —dijo la madre de Berta.

El jerez, claro está, no era ni para Berta ni para el pequeño Borja. Ellos tomaron una refresco de limón, con pajitas transparentes en espiral por las que veían el refresco dando vueltas y vueltas subiendo desde el vaso hasta la boca. El pequeño Borja daba sorbos pequeños, como si fuera un experto y pudiera decir hasta de dónde provenían los limones. Berta, por el contrario, bebía como quien ha estado en el desierto durante una semana, y, al apurar las últimas gotas, aquello sonó como el agua de la bañera cuando termina de filtrarse por el desagüe. Por otro lado, no se pueden beber grandes cantidades de refresco de limón sin acabar con un montón de gas dentro buscando una vía para volver a salir. La «tía» Sandra había logrado no asustarse por los sorbos antes de que la habitación temblase por los eructos de Berta.

—¡Berta! —protestó su madre.

—¡No lo puedo evitar! —dijo Berta, y eructó de nuevo.

—Bueno, sentémonos todos a la mesa —dijo la madre de Berta—, y empezaré a servir la comida.

¿Quién diablos le habría mandado hacer espaguetis a la boloñesa? Era la pregunta que se hizo la madre de Berta mil veces cuando la «tía» Sandra se despidió diciendo que volverían a verse, en alguna ocasión.

La comida no había supuesto ningún problema para el pequeño Borja, que sabía perfectamente cómo utilizar la cuchara y el tenedor para enrollar la cantidad justa de espaguetis. Pero, el plato de Berta y el espacio alrededor en el mantel, parecían una operación quirúrgica realizada por un carnicero loco. La salsa boloñesa salpicó el mantel de lino blanco y el vestido de Berta. Le caía por la barbilla y le empapaba los dedos. Los espaguetis tenían vida propia; Berta llegó a sorber uno tan largo que parecía un lombriz entrando en su agujero.

—¿Por qué no llevas al pequeño Borja al jardín? —le dijo su madre a Berta cuando acabó el bochorno de la comida.

Bueno, ¡Berta podía haber contestado! De hecho estuvo a punto de decir:

—¡Porque el pequeño Borja es más aburrido que una ostra!

Pero su madre se adelantó y dijo:

—Puede que haya gelatina de merienda.

La gelatina era, junto con el chocolate, la pasión de Berta. Podía hacer casi cualquier cosa por conseguirla.

—De acuerdo —dijo. Y luego, dirigiéndose al pequeño Borja, masculló—: ¡Bueno, pues vamos!

—¡Y no os peleéis! —dijo la madre de Berta mientras salían del comedor.

Ni el padre ni la madre de Berta eran aficionados al jardín, y lo habían dejado florecer libremente. Los setos y los arbustos habían crecido demasiado, y los árboles frutales necesitaban una buena poda. Pero era un jardín fantástico para jugar, con un montón de sitios donde esconderse. El pequeño Borja, sin embargo, no miraba el jardín con ojos aventureros. Se quedó quieto, comparándolo con el cuidadísimo jardín de su carísima casa de Monteclaro.

—*A nueztro jardinero le daría un ataque zi viera ezto* —dijo.

—¿Por qué? —preguntó Berta.

—*Bueno, ezto ez un dezaztre, ¿no?* —dijo el pequeño Borja.

Solo la visión de la gelatina, brillante y temblorosa en el plato, evitó que Berta diera una patada al pequeño Borja en ese mismo instante. Pero en vez de eso, respiró profundamente dos veces y se fue hacia el columpio en el que solía desahogarse.

El columpio estaba hecho en casa con cuerdas algo deshilachadas, ya que colgaban de la rama de un peral. Berta se sentó y comenzó a columpiarse; estiraba las piernas con habilidad y práctica, así que muy pronto estaba columpiándose hacia delante y hacia atrás, más y más arriba, hasta que llegó un momento en el que las cuerdas estaban casi paralelas al suelo, y entonces, impulsándose hacia delante, saltó al vacío. Por unos instantes fue como si volara, y luego aterrizó en cuclillas. Volvió al columpio y repitió el procedimiento. Estaba arreglándose los pantalones y lista para otro vuelo cuando el pequeño Borja dijo:

—Yo también quiero.

Berta sintió la tentación de decirle que podía esperar tranquilo, pero, de nuevo, el hechizo de la gelatina hizo su efecto, y le cedió el sitio.

Se sentó en el columpio y agitó las piernas, pero no ocurrió nada. Puede que Borja se «columpiara» en el mundo de la moda, pero no tenía ni idea de columpios.

—Bueno, pues empújame ¿no? —pidió. Si hubiera visto la mirada de Berta puede que hubiese añadido un «por favor», pero Berta estaba detrás de él, y amenazó picajoso—: *¡Zi no me empujaz, ze lo diré a mamá!*

Así que Berta le empujó una vez.

—¡Otra vez! —ordenó el pequeño Borja. Berta le empujó de nuevo.

—*¡Pero no parez, tonta!* —dijo el pequeño Borja.

Y Berta no lo hizo. Si el pequeño Borja quería columpiarse, se columpiaría. Y tanto se divertía mientras empujaba al pequeño Borja más y más fuerte, que se olvidó de la gelatina

—*¡Ya ez zufiziente, Bezta!* —gritó el pequeño Borja con las manos fuertemente agarradas a las cuerdas.

Pero Berta estaba ya harta de recibir órdenes del pequeño Borja. Cada vez que el columpio volvía, Berta le daba un empujón todavía más fuerte, lanzando al pequeño Borja más arriba. Y aunque le chilló que parara, ¡incluso se lo pidió por favor!, Berta estaba tan concentrada empujando, para ver hasta que altura podía llegar, que no oía sus súplicas.

Lo primero que el pequeño Borja perdió fue su gorra de béisbol de marca, que salió volando por el aire. Lo segundo fue su almuerzo; lo bueno fue que lo perdió en el camino de vuelta del columpio, con lo cual no todos los espaguetis a la boloñesa fueron a caer sobre su sudadera y sus pantalones vaqueros de marca. Pero el pequeño Borja no estaba como para preocuparse por pijadas. Sus sollozos y gritos histéricos hicieron volver en sí a Berta, que empezó a temer, con razón, que todo ese alboroto haría que los mayores salieran a investigar. Entonces dejó al pequeño Borja columpiándose en el peral y corrió a esconderse entre los arbustos, y allí esperó el alboroto. No tuvo que esperar mucho.

La madre de Berta se disculpó por lo menos cien veces. La «tía» Sandra le decía que no se preocupara, pero no era eso lo que pensaba. El pequeño Borja se agarraba a su madre, gimoteando que la mala de Berta le había hecho subirse al columpio y luego no quería dejar de em-

pujarle. Berta no decía ni una palabra. Limpiaron al pequeño Borja y le pusieron agua de colonia; poco después, la «tía» Sandra dijo que tenían que irse ya.

Cuando la madre de Berta acabó de despedirse mientras se disculpaba una vez más, se volvió hacia Berta.

—En cuanto a ti, señorita —dijo—, hoy no habrá gelatina. ¡De hecho, tendrás suerte si pruebas la gelatina algún domingo de este mes!

Y Berta contestó, alegremente, sintiendo cada palabra:

—¡No me importa si no vuelvo a probar la gelatina!

8
BERTA
Y LOS TRES DESEOS

Berta siempre había pensado que los cuentos de hadas no eran más que eso: cuentos de hadas. Como cuando le dijo a su madre que ella no se había acercado a la caja de pinturas de Jimena, y que no tenia ni idea de por qué el amarillo ocre estaba todo lleno de azul cobalto, ni de por qué los pinceles estaban rígidos por la pintura seca. Y su madre respondió:

—¡No me cuentes cuentos de hadas!

Así que, cuando Berta encontró una verdadera hada en el fondo de su jardín, se sorprendió mucho.

Estaba jugando a las brujas ella sola, y explorando el terreno húmedo que había junto al seto, buscando hongos y hierba

venenosa con el fin de preparar una po-
ción para convertir a Jimena en una babosa. Pero lo único que encontró fue el
papel de un caramelo, una concha de ca-
racol vacía y un león de plástico que había perdido meses atrás mientras jugaba
a la selva. Nada de todo esto servía para
poder convertir a Jimena en algo peor de
lo que ya era.

Cómo se dejó sorprender el hada, es
un misterio, ya que Berta estaba haciendo suficiente ruido como para asustar a
cualquier cosa que se moviera. Tal vez
fuera el resfriado que sufría el hada. Tal
vez estaba tan congestionada, estornudando y sonándose todo el rato, que no
notó la llegada de Berta.

Cuando Berta la vio, estaba sentada
sobre una pequeña piedra. Tenía las alas
caídas, y su varita estaba flácida. Le re-
cordaba a una vieja hada medio rota que
rescataban de la caja de adornos cada
año para ponerla en la copa del árbol de
Navidad. Berta no tardó ni un segundo
en actuar. Traía consigo un envase de yo-

gur vacío para recolectar los ingredientes, y de un golpe atrapó al hada.

—¡Te pillé! —exclamó.

Del interior del envase de yogur salió una débil voz.

—¡Eh!, ¿Se puede saber qué estás haciendo? ¡Achís!

—¡Jesús! —dijo Berta amablemente, pero sin ninguna intención de soltar al hada.

Había cazado con anterioridad saltamontes, mariposas y ranitas, pero nunca un hada. Era algo muy especial, y pensaba sacarle el máximo provecho. Así que mantuvo la mano sobre el envase de yogur mientras pensaba. El hada continuó estornudando y revoloteando y, de vez en cuando, gritaba:

—¡Odie! ¡Dega de moledad y dégame salid!

Te preguntarás por qué no se liberaba ella sola con un toque de su varita o haciendo desaparecer a Berta. No puedo responder a esa pregunta. Sé muy poco acerca de las hadas.

Pero el hecho era que, mientras Berta mantenía la mano sobre el envase del yogur, el hada no podía escapar. El problema de Berta era que no podía mantener la mano ahí para siempre, y tampoco tenía cerca ninguna caja donde meter al hada. Así que Berta siguió pensando, y el hada siguió gritando y estornudando, hasta que por fin Berta dijo:

—Si te dejo salir, ¿prometes no escapar corriendo ni volando? —añadió, porque el hada podía prometer no irse corriendo, y luego irse volando. Es exactamente lo que Berta habría hecho en su lugar.

De repente, se hizo el silencio. El hada se lo estaba pensando.

—¿Y bien? —preguntó Berta, que estaba perdiendo la paciencia—. ¡Si no lo prometes, te aplastaré!

La amenaza no era ninguna broma, pues Berta había aplastado unas cuantas criaturas pequeñas en otro tiempo. El hada debía de saberlo, porque de pronto respondió:

—¡*Oh!, de acuerdo endondes*.

—¿Lo prometes y si no que te mueras? —dijo Berta.

—¡*Oh! Lo promedo y di no que me mueda* —dijo el hada—. ¡Aaachísss!

Con cuidado, Berta levantó el envase de yogur, lista para bajarlo de golpe si el hada trataba de escapar. Pero ella seguía sentada en la piedra, con la barbilla entre las manos, con la cara muy roja y un gesto mohíno igual que el de Berta cuando se enfadaba. No era como las hadas buenas de los cuentos que había leído; más bien parecía un hada gruñona.

—*Buedo, ¡babos al grado!* —dijo el hada—. *Dienes dres.*

—¿Tres qué? —preguntó Berta.

El hada meneó la cabeza y dijo con impaciencia:

—*¿Dú qué crees? Dres deseos, ¡cara plado!*

Fue una temeridad por parte del hada, ya que Berta no era de las que se dejaban insultar. Pero la repentina expectativa de tener tres deseos la deslumbró.

—*Y diened que udarlod anded de died minudod* —dijo el hada.

Todo esto era nuevo para Berta, y pensó que tal vez el hada estaba tomándole el pelo. Y así se lo dijo:

—Estás tomándome el pelo.

—*¿Domándode el pelo?* —dijo el hada—. *¡Ponme a prueba! ¡No ez ningún fadol!*

Tres deseos son tres deseos, y Berta no quería perderlos por discutir, así que pensó rápidamente.

—Bien —dijo—. Convierte a mi hermana Jimena en una babosa.

—*¡Debed de edtad bdomeando!* —protestó el hada—. *¡En mi edtado!*

Volvió a estornudar, y se sonó con un pañuelo que parecía ya una bayeta mojada.

—*Hay que estad en bueda fodma pada haced un drabajo adí. ¡Pienda de duebo, cadiño!* «*Coviedte a bi hedbana en una baboda...*» —murmuró con desdén—. *¡Hay gende que ed que no tiede cedebdo!*

—Bueno, pues ¿qué podrías hacerle a mi hermana? —preguntó Berta.

—*Puedo povocadle un desfdiado.*

No era gran cosa, pero algo es algo, pensó Berta.

—De acuerdo entonces —dijo—, provócale un resfriado a mi hermana.

—Muy bien —dijo el hada—. *¿Buedo?... ¿Gué hay del degundo? No tiened todo el día. De hecho, solo te quedan diete midutod.*

Berta pensó rápidamente. Había cientos de cosas fantásticas que le gustaría pedir, pero si lo peor que podía hacer a Jimena era que se resfriara, parecía poco probable que pudiera transformar su colegio en un parque de atracciones, o hacer que Berta pudiera volar. Era difícil pedir deseos mágicos tan pequeños como un resfriado. Entonces recordó que el lunes la hermana Agnes haría un examen sobre la tabla de multiplicar. A Berta no se le daban nada bien las tablas.

—Mi segundo deseo —anunció— es no ir al colegio el lunes... Puedes hacer eso, ¿no?

—*Hadta haciendo ed pino* —dijo el hada, aunque continuó sentada en la piedra.

Faltaba un deseo, y los minutos pasaban corriendo. En realidad, pensó Berta, no había conseguido gran cosa de sus dos primeros deseos. De todas las hadas que había en el mundo, se había encontrado con la peor. Además, los estornudos la estaban poniendo nerviosa. No la dejaban pensar.

—Ah, ¡deseo que dejes de sorberte los mocos y de estornudar! —exclamó, y rápidamente se tapó la boca con la mano.

¡Demasiado tarde! había cometido la misma estupidez que comete la gente en los cuentos de hadas.

—No quería decir... —empezó a decir.

Pero el hada solo sonrió y le sacó la lengua.

—¡Tonta! —se burló sin rastro del resfriado. Y desapareció.

Berta buscó entre los arbustos, pero sin mucha esperanza de encontrar al hada. Y cuanto más pensaba en lo sucedido, más se enfadaba. Solo había conseguido dos insignificantes deseos. ¡Vaya suerte la suya!

A la hora de la merienda se animó un poco, cuando Jimena comenzó a estornudar y su nariz empezó a gotear. Mamá le tomó la temperatura y la mandó inmediatamente a la cama. No era ni la mitad de divertido que ver a Jimena convertida en una babosa, pero ya era algo saber que su primer deseo se había cumplido. Le dio grandes esperanzas sobre el segundo.

Y, por supuesto, Berta no fue al colegio el lunes. Estaba en la cama con el mismo resfriado que había cogido Jimena. Le dolía la cabeza, le escocía la garganta, y no paraba de estornudar.

Esa tarde, después del colegio, a Lucía le permitieron verla durante unos minutos, con tal de que no se acercara mucho.

—Y te perdiste la obra —dijo.

—¿Qué obra?

—Los estudiantes de la universidad vinieron y representaron una obra sobre un mago y unos monstruos, y cosas así. Fue buenísimo. Te habría encantado, seguro.

A Berta ya no le parecía tan buena idea haber faltado a clase, pero intentó ver el lado bueno.

—*Pod lo medos me libdadé del examen* —moqueó.

—¡Oh, no! —exclamó Lucía—. Había tanta gente resfriada que la hermana Agnes ha dicho que esperará hasta que volváis todos.

Fue entonces cuando Berta se hizo la firme promesa de que, si volvía a cazar otra hada, la aplastaría inmediatamente.

Índice

Escribieron 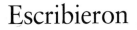 y dibujaron...

Roger Collinson

—*Roger Collinson nació* *en Londres en 1936. Estudió Filología Inglesa y Teología en la universidad de Durham. Desde 1997 es pastor de la iglesia anglicana. Ha publicado numerosos libros infantiles. ¿Cómo surgió la idea de escribir para niños?*

—Considero muy importante la formación moral e intelectual desde los primeros años, y creo que la literatura es un buen aliciente para desarrollar la fantasía y la imaginación, a la vez que se aprenden determinados valores.

—*En esta obra, la protagonista se muestra rebelde y muy traviesa. ¿Qué opina al respecto?*

—Que los niños son niños y tienen que crecer como niños. El sentido del humor es necesario en el adulto para comprender los sentimientos de los pequeños y cómo las travesuras no son más que una respuesta en la que el niño se siente más dueño de sus actos, más independiente del adulto, aunque también haya de sufrir las consecuencias, como es natural.

—*En su literatura para niños, ¿qué es lo que más le interesa transmitir al lector?*

—Que la vida es divertida, a pesar de tener que obedecer a los mayores, pero que también hay que aprender a responsabilizarse de los propios actos. En la literatura, los niños pueden desarrollar su mundo emocional y cognitivo.

Antonia Santolaya

—*Antonia Santolaya nació en Ribafrecha (La Rioja). Estudió Bellas Artes porque quería ser pintora o escultora. ¿Se le ocurrió que algún día podría ilustrar cuentos?*

—Nunca pensé ilustrar cuentos, excepto cuando de niña miraba mis libros y me preguntaba quién sería la persona que dibujaba lo que yo leía.

—*¿Le gusta especialmente la literatura infantil en la que hay una buena dosis de humor?*

—Entiendo que es un ingrediente que debe estar presente en cualquier forma de escritura. Tengo muy mala memoria para los chistes, pero las historias graciosas se me fijan con facilidad en la memoria. Creo que el humor ayuda al niño a entender sus problemas desde un punto de vista mucho menos traumático y más liberador. Cuando Berta vive todas estas historias estoy segura de que no piensa que son divertidas, pero en el momento de contarlas es capaz de reírse de ella misma.

—*En este libro, las ilustraciones han captado toda la fuerza y expresividad de la narración, destacando los aspectos más sutiles. ¿De qué recursos se vale para conseguirlo?*

—Yo fui como Berta. Reconozco su prisa por conseguirlo todo ¡ya y ahora! Reconozco sus inquietudes y la lógica de sus pensamientos. Tuve la tentación de retratarme en el papel de Berta porque yo no era muy diferente a ella, pero descarté esa idea al final. Puede que todo esto me haya ayudado a darle más fuerza a las pequeñas grandes cosas que le suceden.